Conception, texte et illustrations d'Yvette Barbetti
Conseil scientifique : Thierry Auffret van der Kemp (Biologiste)

Mes premières questions sur les  animaux

Éditions Lito

Sommaire

La vie des animaux au printemps

La vie des animaux en été

La vie des animaux en automne

La vie des animaux en hiver

Dans l'arbre l'oiseau fait son nid

Au printemps, l'oiseau mâle fait la cour à une femelle et lui siffle sa plus belle mélodie. Ensemble, ils vont bâtir un nid pour y abriter leurs futurs petits.

Avec quoi l'oiseau fait-il son nid ?

Avec des brins d'herbe, des tiges, de la mousse, des racines, de la boue qu'il transporte avec beaucoup de patience dans son bec.

Pendant combien de temps maman oiseau couve-t-elle ?

Maman oiseau pond ses œufs dans le nid et se pose dessus. Elle les garde ainsi bien au chaud : elle couve pendant 15 jours.

Comment l'oisillon sort-il de sa coquille ?

Toc, toc ! Avec son bec, l'oisillon casse la coquille. Il fait beaucoup d'efforts pour sortir de l'œuf. Il ne tient pas sur ses pattes, n'a pas de plumes et ne peut pas encore voler.

Que mangent
les oisillons affamés ?

Des vers, des chenilles, des insectes :
c'est papa oiseau qui va chercher
à manger toute la journée.

Les oiseaux chanteurs

Qui s'envole doucement en roucoulant ?

C'est le pigeon ramier. Il roucoule : « hour-kou-kou ».

Qui fait « hou-hou » la nuit venue ?

C'est le hibou grand duc. Il ulule : « hou-hou ».

Qui est tout noir avec un bec jaune et se promène en sifflant ?

C'est le merle noir. Il siffle : « tchouc ! tchouc ! tchouc ! »

Que crie la corneille ?

« Croââ ! croââ ! » La corneille croasse.

Il n'y a pas que les oiseaux qui pondent des œufs !

Qui pond ses œufs sur une feuille ?
C'est le papillon piéride.

Qui pond ses œufs dans l'eau ?
C'est la grenouille.

Qui pond ses œufs dans la fourmilière ?
C'est la fourmi.

Qui pond ses œufs dans un trou ?
C'est l'escargot.

Qui pond ses œufs dans la terre ?
C'est le lézard.

De la chenille au papillon

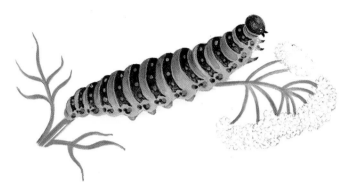

Comment naît le papillon machaon ?

1 Un papillon mâle et un papillon femelle s'accouplent.

2 La femelle pond des œufs minuscules sous une feuille.

3 Une chenille est sorti de chaque œuf et a gran Elle grignote des feuilles pour se nourrir.

Après avoir
mangé,
chenille se fixe
ne branche
tissant des fils de soie.

5 Elle se transforme
en chrysalide.

6 Au printemps, la chrysalide
déchire son enveloppe.
Le papillon apparaît. Il déploie
ses ailes encore froissées,
les fait sécher et s'envole.

À quoi servent les antennes du papillon ?

Elles lui servent à sentir
les odeurs, par exemple
le parfum des fleurs.

omment se nourrit le papillon ?

spire le jus sucré, ou nectar, des fleurs
se servant de sa trompe comme d'une paille.

Des acrobates dans les arbres

L'écureuil construit-il son nid ?

Il n'y a pas que les oiseaux qui construisent des petits nids douillets ! L'écureuil, lui, s'installe tout en haut d'un arbre. Son nid est tout rond, fait de brindilles et de feuilles sèches à l'extérieur, et de mousse et d'herbes à l'intérieur.

Où habite la famille muscardin au printemps ?

Les petits muscardins passent l'hiver dans le trou d'un arbre. Au printemps, ils installent leur petit nid tout rond dans un buisson de ronces.

Comment le pic grimpe-t-il aux arbres ?

À l'aide de ses griffes et de sa queue qui lui sert d'appui, il grimpe sans difficulté le long de l'arbre.

Que fait le loir dans l'arbre ?

Avec ses petits coussinets antidérapants sous les pattes, il peut grimper aux arbres avec agilité et y faire des acrobaties.

Ils s'activent au printemps

Dans le jardin, qui pointe le bout de son nez ?
C'est la petite taupe.

Qui sort de son buisson ?
C'est le petit hérisson.

Dans le bois, qui sort de son terrier ?
C'est le petit blaireau.

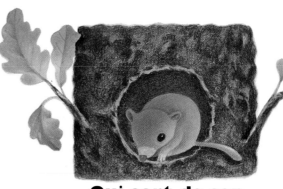

Qui sort de son nid d'hiver ?
C'est le petit muscardin.

À la montagne, qui sort de son abri d'hiver ?
C'est la petite marmotte.

Qui sort de son gîte ?
C'est le petit lièvre.

Comment s'appellent les bébés lapins ?

Ce sont les lapereaux.
Toute la famille habite
dans un terrier.

Comment s'appellent les bébés lièvres ?

Ce sont les levrauts.
Ils ont des oreilles
et des pattes plus grandes
que celles des lapins.

Les hérissons naissent-ils avec des piquants ?

Non ! À leur naissance,
les bébés hérissons sont tout nus.
Puis leur peau se couvre de poils
plus ou moins gris qui vont très vite
se transformer en piquants.

mment s'appelle bébé de la biche ?

est le faon.
taches blanches
t disparaître quand
ra plus grand.

Comment s'appelle le papa du faon ?

C'est le cerf. Il porte une grande
couronne de bois sur la tête.

La maison des fourmis

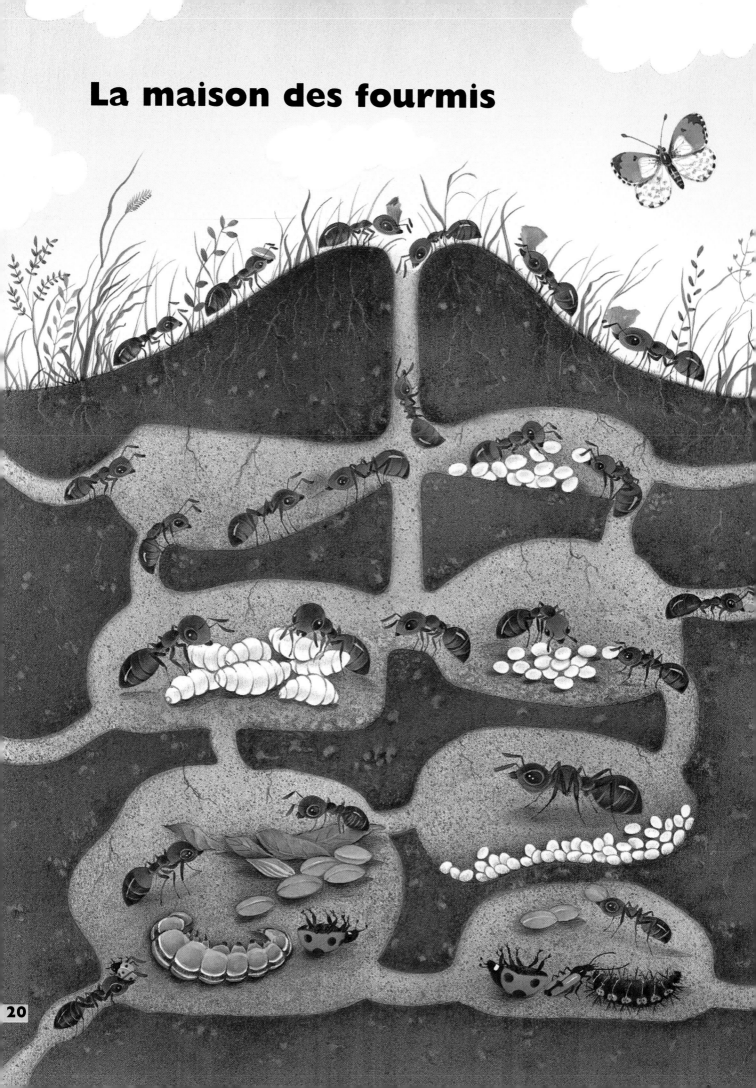

Comment s'appelle la maison des fourmis ?

C'est la fourmilière. Les fourmis creusent des galeries et bâtissent des chambres sous la terre. Un véritable labyrinthe ! Pour construire leur maison, elles transportent des brindilles, des feuilles, de la terre dans leurs mandibules et se déplacent en colonnes.

Qui pond les œufs au printemps ?

C'est la reine. Toute la journée, elle pond des œufs dans une des galeries.

Qui s'occupe des œufs ?

Ce sont les ouvrières qui soignent les œufs. Plus tard quand les larves naissent, elles vont les nourrir jusqu'à ce qu'elles deviennent fourmis adultes.

Que mangent les fourmis ?

Selon les espèces, des graines, des insectes, des fruits qu'elles transportent dans les chambres de la fourmilière. Si la proie est trop lourde, elles s'y mettent à plusieurs !

À quoi servent les antennes des fourmis ?

À communiquer entre elles. Avec leurs antennes, les fourmis peuvent sentir leurs odeurs et se tapoter : cela leur permet ainsi de s'avertir, de se reconnaître ou de se réclamer de la nourriture.

Les insectes s'activent

Que font les pucerons et les coccinelles sur les feuilles ?

La feuille est le repas préféré de beaucoup d'insectes.
Les pucerons aspirent la sève sucrée de la feuille en piquant dans ses nervures. Ils font ainsi beaucoup de mal à la plante.
Heureusement, la coccinelle veille et mange les pucerons.

De quelle couleur est la coccine
à la naissance

Lorsqu'elle sort adu
de sa chrysali
la coccinelle est toute jau
et sans tach
Très vite, les points no
apparaissent sur ses a
qui deviennent toutes roug

Que mange le hanneton ?

C'est un gros mangeur de feuilles. Il dévore tout sur son passage ! Il est devenu rare car il est sensible aux pesticides de l'agriculture moderne.

D'où sort le hanneton ?

Le hanneton est d'abord une larve dite « ver blanc » qui sort d'un œuf. Elle vit trois ans sous la terre. Comme la chenille, la larve se transforme en chrysalide qui va donner naissance au hanneton. Il sort de la terre et s'envole au printemps.

23

L'escargot

L'escargot a-t-il des dents ?

La langue de l'escargot ressemble à une râpe : elle porte des petites dents qui lui permettent de hacher les feuilles qu'il mange. L'escargot dévore les jeunes pousses et les feuilles tendres. Il aime sortir par temps de pluie.

À quoi servent les cornes de l'escargot ?

Sur sa tête, l'escargot a deux antennes avec une boule noire à chaque extrémité. Ce sont ses yeux. Plus bas, il a encore deux petites cornes qui lui servent à tâter les feuilles.

Que fait l'escargot dans sa coquille ?

L'escargot se cache dans sa coquille dès qu'il se sent en danger. En hiver, il s'y enferme pour hiberner jusqu'au printemps.

Comment l'escargot pond-il ses œufs ?

Derrière ses cornes, l'escargot a un petit trou : ce n'est pas une oreille, c'est par là qu'il pond ses œufs. Quand les bébés escargots naissent, ils sont minuscules et leur coquille est transparente.

a limace,
e ver de terre
t la salamandre

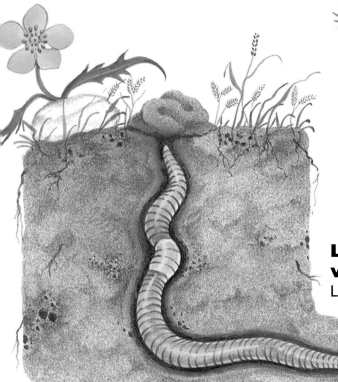

Qui ressemble à un escargot sans coquille en spirale ?

C'est la limace. Comme l'escargot,
elle se déplace en rampant,
elle a des antennes et elle bave.
Elle peut manger des champignons
vénéneux, elle ne sera pas malade.

Le ver de terre mange-t-il vraiment de la terre ?

Le ver de terre avale de la terre et digère
les morceaux de feuilles qui s'y trouvent.
Ensuite, il la rejette sous forme de
tortillon. En creusant ses galeries,
il aère le sol et le laboure.

i mange des vers et des limaces ?

est la salamandre. Jaune et noire, elle ressemble à un lézard,
is c'est un batracien comme la grenouille.
avril, elle sort de sa cachette d'hiver et part à la chasse.
s vers et les limaces sont ses aliments préférés.

Au bord de l'eau

Que font les canards sarcelles sous l'eau ?

Avec leur bec large et plat,
ils fouillent dans la vase à la recherche
de vers et de plantes à manger.

Comment la grenouille attrape-t-elle des insectes ?

Dès qu'un insecte passe près d'elle,
la grenouille projette sa langue sur lui
et l'attrape ainsi au vol.

Comment
le martin-pêcheur
attrape-t-il
les poissons ?

Perché sur une branche au-dessus de l'eau, il plonge brusquement en piqué et ressort avec un poisson dans son bec.

Avec son long cou, le héron peut-il voler ?

Pour voler, le héron doit replier son cou qui prend alors la forme d'un S.

Du têtard à la grenouille

Comment naît le têtard ?

La grenouille a pondu dans l'eau des centaines d'œufs. Ils ressemblent à des petites perles. Ils ont été fécondés par le mâle de la grenouille lors de l'accouplement.

Bientôt un petit têtard sort de chaque œuf. Il va vivre dans l'eau et se transformer peu à peu.

Comment le têtard se transforme-t-il en grenouille ?

Une grosse tête,
une longue queue,
le têtard est tout noir.

Bientôt, les pattes palmées
vont pousser, d'abord derrière…

…puis devant.

Petit à petit,
la queue disparaît.

Le têtard tout noir est devenu
une petite grenouille verte.

Les petits gourmands de l'été

Que mangent le lièvre et les petits levrauts ?

Maman lièvre et ses levrauts mangent de l'herbe, des feuilles et se régalent de fleurs tout l'été.

Que fait la pie
sur l'abricotier ?

Avec son bec, elle abîme les abricots
en les goûtant pour choisir le plus sucré !

Que mange
le blaireau ?

Après un bon repas de vers de terre,
le blaireau apprécie quelques fraises
des bois, mais il aime aussi
les insectes et les petits rongeurs.

Le loir et le renard
mangent-ils des fruits ?

Sur l'arbre, à l'abri du renard, le
loir se régale ! Mais le renard, qui
ne mange pas que des poules et
des lapins, aime aussi les cerises !

31

La libellule

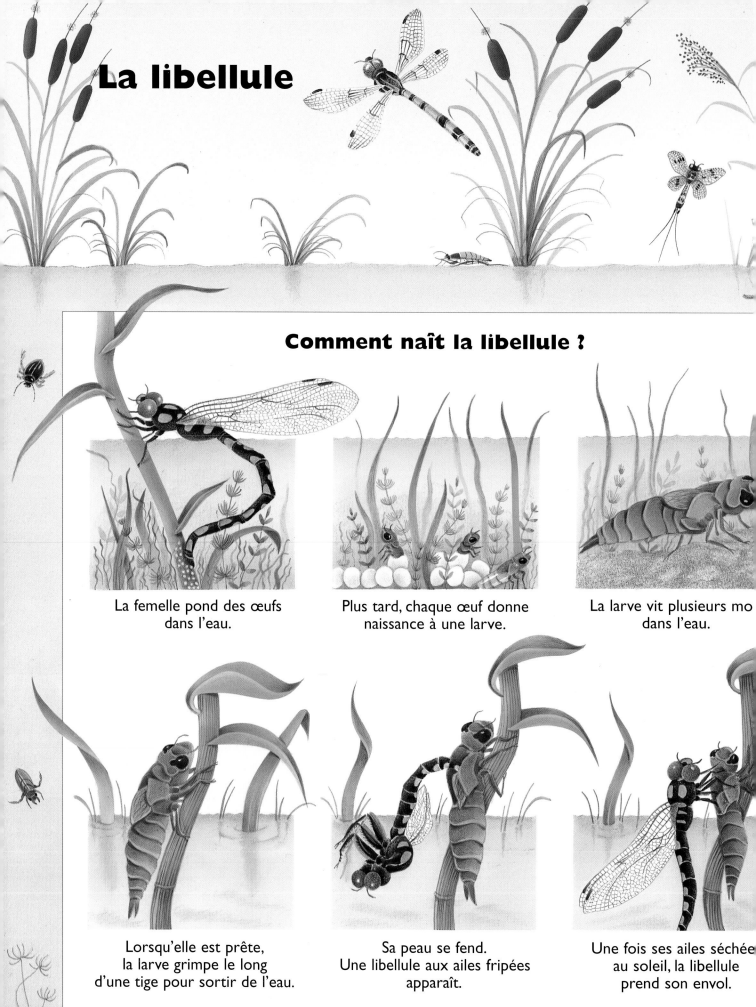

Comment naît la libellule ?

La femelle pond des œufs
dans l'eau.

Plus tard, chaque œuf donne
naissance à une larve.

La larve vit plusieurs mo
dans l'eau.

Lorsqu'elle est prête,
la larve grimpe le long
d'une tige pour sortir de l'eau.

Sa peau se fend.
Une libellule aux ailes fripées
apparaît.

Une fois ses ailes séchée
au soleil, la libellule
prend son envol.

Comment vole la libellule ?

Comme un hélicoptère, la libellule s'arrête suspendue en l'air, recule, descend, remonte grâce à ses magnifiques ailes. À toute allure, elle survole l'étang en zigzaguant.

Que peut faire la libellule avec ses gros yeux ?

Avec ses yeux énormes, la libellule, qui peut bouger la tête, voit non seulement devant et sur les côtés, mais aussi derrière, dessus et dessous ! C'est bien pratique pour repérer et attraper en plein vol les insectes dont elle se nourrit.

Qui sont les ennemis de la libellule ?

Gare au poisson et à la grenouille ! Ce sont ses principaux ennemis.

Le lézard

Comment naissent les lézards ?

Maman lézard a pondu des œufs. Les bébés lézards sortent de l'œuf au bout de quelques jours.

Pourquoi dit-on : « faire le lézard »

Le lézard passe une partie de son temps à se prélasser en se chauffant au soleil. Alors, comme lui, « faisons le lézard » !

Pourquoi le lézard perd-il sa queue ?

Si on attrape un lézard par la queue, elle se casse, ce qui lui permet de s'enfuir. Plus tard, elle va repousser !

a couleuvre et la vipère

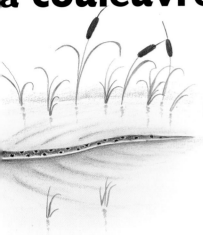

La couleuvre sait-elle nager ?

La couleuvre aime les endroits humides près des étangs. Elle nage à la surface de l'eau et peut même plonger pour attraper des poissons. La couleuvre est inoffensive, elle ne s'attaque pas à l'homme, mais elle peut mordre cruellement si on essaie de la saisir à main nue.

u'est-ce que le venin ?

ipère fabrique un poison, le venin.
and elle mord avec ses crochets,
injecte son venin dans le corps
son ennemi. La vipère est dangereuse,
t un serpent venimeux.

Comment reconnaît-on la vipère ?

La vipère a une tête triangulaire sur laquelle ses écailles dessinent un V, et elle a une queue beaucoup plus courte que celle de la couleuvre.

Comment la vipère attrape-t-elle un mulot ?

La vipère mord le mulot qui s'enfuit et meurt très vite. La vipère le retrouve en percevant son odeur et l'avale tout entier sans le mâcher.

Les abeilles

Où vivent les abeilles ?

Les abeilles domestiques vivent dans une petite maison de bois fabriquée par l'homme.
C'est la ruche.

Les abeilles à l'état sauvage installent leur nid suspendu à une branche ou dans le creux d'un arbre.

Que font les abeilles dans la ruche ?

Les abeilles vivent dans des rayons de cire. Elles sont tour à tour nourrices, ménagères, soldats, maçonnes, butineuses.

Les abeilles maçonnes fabriquent des alvéoles avec de la cire qui coule d'une glande à l'extrémité de leur ventre. Pour construire un rayon, elles font la chaîne, suspendues les unes aux autres. Les abeilles ménagères nettoient les alvéoles et jettent les saletés dehors. Pour protéger les habitants de la ruche, les soldats gardent l'entrée et chassent les intrus.

À quoi servent les alvéoles ?

Ce sont des petits réservoirs qui servent soit de chambres pour le développement des abeilles, soit de réservoirs à miel.

Qui est la reine ?

C'est la maman de toutes les abeilles d'une ruche. Après s'être accouplée en vol avec les mâles ou faux bourdons, elle pond 2000 œufs par jour qu'elle dépose un par un dans chaque alvéole.

Comment naît l'abeille ?

Au bout de trois jours, l'œuf donne naissance à une larve qui va se transformer plus tard en abeille. Les nourrices lui donnent du miel à manger.

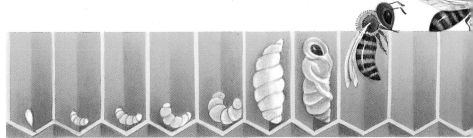

Que fait l'abeille butineuse ?

Elle aspire le nectar de la fleur avec sa langue et le met en réserve dans son estomac. Sur ses pattes arrière, elle a une petite corbeille qui sert à recueillir le pollen.

De retour à la ruche, elle dépose le nectar et les boules de pollen dans chaque alvéole en les poussa avec sa tête. Le nectar sert à fabriqu le miel, le pollen à nourrir les abeille

Comment font les abeilles pour fabriquer le miel ?

Avec leurs ailes, les ouvrières ventilent le nectar qui va se transformer en pâte. Ensuite elles mâchent cette pâte, en font une boulette, la remettent dans l'alvéole et bouchent l'entrée avec de la cire. Le bon miel sera bientôt prêt !

La guêpe
et le frelon

Qu'est-ce
qu'un frelon ?

C'est une grosse guêpe qui fait
beaucoup de bruit en volant et qui
pique très fort. L'abeille, la guêpe
et le frelon piquent seulement
lorsqu'ils se sentent en danger.
Alors, il vaut mieux
ne pas les taquiner.

le frelon

omment les guêpes
nt-elles leur nid ?

ec des petits bouts de bois qu'elles mâchent
gtemps, les guêpes fabriquent une bouillie
 devient de la pâte à papier avec laquelle
s construisent leur nid. La maison des guêpes
pelle le guêpier.

la guêpe

l'abeille

Quelle est la différence
entre la guêpe et l'abeille ?

La guêpe ne fabrique pas de miel.
Elle peut piquer plusieurs fois avec son dard
tout lisse. L'abeille pique une seule fois
et meurt tout de suite après.

La chauve-souris

Quand peut-on voir des chauves-souris ?

Dans le ciel d'été, à la tombée de la nuit, on aperçoit des chauves-souris.
Elles volent en zigzag, le plus souvent silencieusement,
en poussant des cris si aigus que notre oreille ne les entend pas.

La chauve-souris est-elle un oiseau ?

Avec son corps recouvert de poils et non de plumes, la chauve-souris ressemble à une souris. Ses ailes sont lisses et sans poils : elles sont « chauves ». La chauve-souris est un mammifère : elle allaite ses petits qui sont formés dans son ventre. C'est le seul mammifère véritablement volant.

Pourquoi la chauve-souris sort-elle la nuit ?

En été, de nombreux insectes volent la nuit. La chauve-souris les happe en plein vol pour se nourrir. Elle est insectivore.

Comment dort la chauve-souris ?

Suspendue par les pieds à une branche ou à la paroi d'une grotte, la tête en bas, les ailes refermées comme un parapluie, la chauve-souris se tient immobile. Elle dort.

À la montagne

Y a-t-il des animaux qui changent de couleur ?

Le lièvre variable vit en altitude. L'hiver, son pelage est blanc comme la neige,
dès le printemps, il change de couleur, et il devient brun en été.

La neige fondue, l'herm
retrouve sa robe d'

La perdrix des neiges, ou lagopède,
perd elle aussi son plumage blanc en été.

a marmotte

quoi jouent les petites marmottes ?

re deux bains de soleil, les petites marmottes s'amusent
re des galipettes, mais leur jeu préféré est la boxe !

Pourquoi la marmotte « siffle »-t-elle ?

En cas de danger, par exemple le survol d'un rapace, la marmotte pousse un cri d'alarme qui ressemble à un sifflement aigu. Elle avertit ainsi ses petits camarades qui s'enfuient dans leurs terriers.

Pourquoi la marmotte est-elle très grasse à la fin de l'été ?

Pendant la saison chaude, la marmotte a beaucoup mangé.
Son ventre traîne à terre ! Grâce à ces provisions
de graisse, elle va pouvoir s'endormir tranquillement
dans son terrier jusqu'au printemps,
où elle se réveillera amaigrie et affamée.

Des insectes chanteurs

Comment chante la cigale ?

Le mâle craquette toute la journée au soleil !
Pour chanter, il a des petites cymbales sur les côtés
qu'il fait vibrer pour attirer les femelles.

Comment chante la sauterelle ?

Comment le crique
fait-il son « cri-cri »

Avec ses pattes arrière, il frotte
une partie de ses ailes avant.
C'est ainsi qu'il fait « cri-cri ».
Le criquet stridule.

« Tzi-tzi-tzi ». Quel drôle de bruit !
Avec une de ses ailes, elle gratte l'autre.
C'est ainsi qu'elle produit ce son.
La sauterelle stridule.

44

es insectes qui piquent

e perce-oreille
erce-t-il vraiment les oreilles ?

dit qu'il se cache dans les oreilles pour y faire
petits trous ! Heureusement, ce n'est pas vrai :
pinces lui servent à se défendre contre l'ennemi !

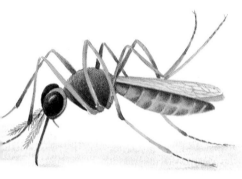

urquoi
moustique
que-t-il ?

st la femelle moustique
pique. Elle a besoin de sang
ur se nourrir et développer
œufs. C'est sa salive
donne envie de se gratter.

Où naissent
les bébés moustiques ?

Comme la libellule, la femelle moustique
pond ses œufs dans l'eau. Ils vont se développer
sous forme de larves juste sous la surface,
avant de s'envoler.

Le martin-pêcheur

Où le martin-pêcheur fait-il son nid ?

Au bord de l'eau, le martin-pêcheur creuse avec son bec un terrier
dans lequel il installe son nid. À la queue leu leu,
les petits attendent le poisson…

Comment le martin-pêcheur attrape-t-il les poissons ?

Du haut de sa branche, le martin-pêcheur plonge brusquement en piqué et ressort avec un poisson d'eau douce dans son bec. Il l'avale tout entier. L'épinoche est un de ses poissons préférés. Son repas terminé, il recrache les arêtes sous la forme d'une boulette !

l'ablette

le gardon

la perche

le goujon

l'épinoche

Dans le ciel et dans les champs

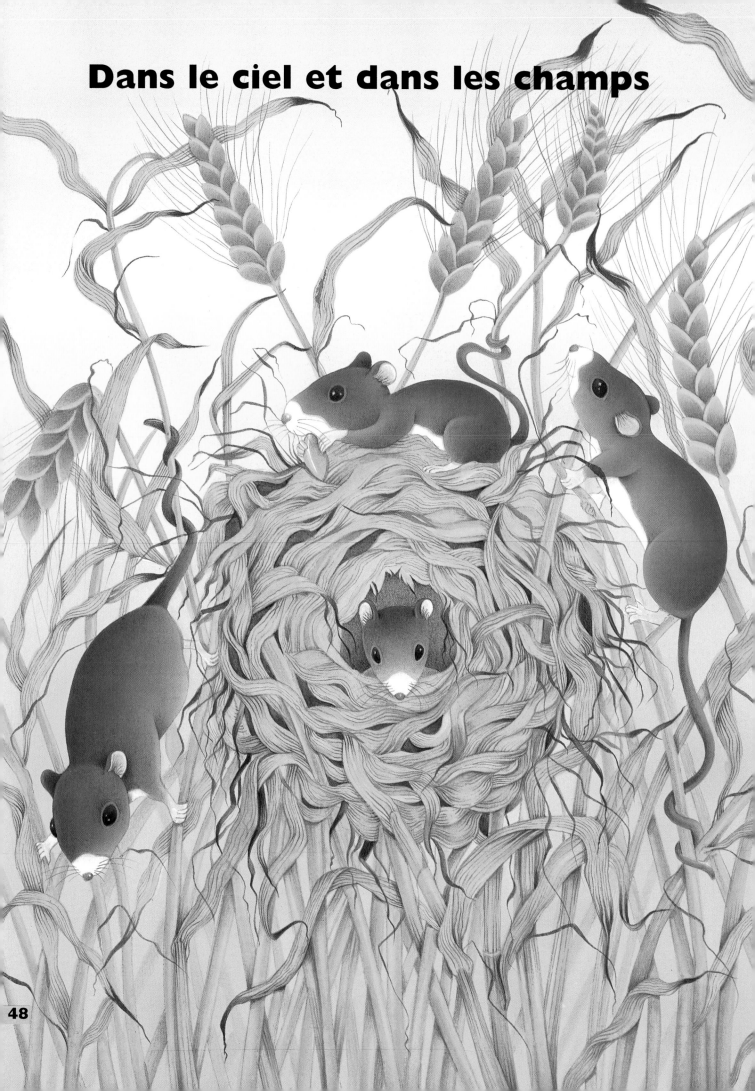

Pourquoi les hirondelles volent-elles bas avant l'orage ?

Lorsqu'il fait beau, les hirondelles volent haut dans le ciel. Pour se nourrir, elles attrapent des insectes en plein vol. À l'approche de l'orage, les insectes volent bas, alors pour les chasser, les hirondelles les suivent au ras du sol.

Que fait le rat des moissons dans les champs de blé ?

Le rat des moissons grimpe très vite le long des tiges de blé pour grignoter les bons grains. À toute allure, il redescend la tête en bas, la queue enroulée autour de l'épi. Il a construit son nid d'été tout rond haut perché dans les tiges de blé ou à proximité des champs, dans des roseaux. Mais à la fin de l'été, gare à la moissonneuse. Il va falloir déménager !

Les petits gourmands de l'automne

Comment se nourrit le loir ?

Il court à toute vitesse le long des branches, grimpe, bondit, pousse des cris en cherchant les glands, les noix et noisettes dont il est friand. De temps en temps, il descend des arbres croquer un champignon !

Comment s'appelle le petit loir qui porte un masque noir ?

C'est le lérot.
Comme ses cousins, le loir et le muscardin, le lérot fait l'équilibriste dans les arbres. Suspendu par la queue, la tête en bas, il choisit les meilleurs fruits mais mange aussi beaucoup d'insectes.

On déménage !

Dès que l'automne est là, il faut trouver un nouveau logis pour dormir en paix à l'abri du froid.

Le mulot vit-il toujours dans les champs ?

Lorsqu'il ne reste plus grand-chose à grignoter dans les champs, il n'hésite pas à s'installer dans une maison où il trouvera sans difficulté de bonnes choses à manger. À l'abri du froid, dans le grenier, des bébés mulots peuvent même naître !

Où se trouvent les maisons du muscardin et du loir en automne ?

Le muscardin quitte son logis d'été, une petite boule d'herbes et de feuilles séchées suspendue dans un buisson, pour construire un nid douillet dans le sol.

Le loir s'endort au fond de sa cachette, dans un arbre creux ou dans un terrier, où il a installé un petit nid abrité par un tas de feuilles mortes et de mousse.

Un rongeur joufflu, le hamster !

Où habite le hamster ?

Il creuse un terrier dans un champ
de céréales ou de luzerne.
À la fin de l'automne, il se retire dans
un nid encore plus profond, à l'abri
du froid, et ferme toutes les entrées
en les bouchant avec de la terre.

Que mange le hamster ?

L'automne venu, il reste un peu
de luzerne et de maïs dans
les champs. Le hamster grimpe
avec agilité jusqu'à l'épi pour
chaparder les bons grains dorés.
Quelques vers et escargots sont
aussi les bienvenus à son menu.

Comment le hamster transporte-t-il ses provisions ?

L'hiver approche, le hamster va faire beaucoup de voyages
pour apporter des provisions dans son terrier.
Il remplit sa bouche de grains, les pousse
avec sa langue au fond de ses joues dont
la peau s'étire. Elles vont lui servir de
réservoir : ce sont les abajoues.

Arrivé au terrier, le hamster passe ses pattes
sur ses joues bien gonflées pour les vider
et range aussitôt les provisions dans le
garde-manger. Il entasse ainsi plusieurs kilos
de grains afin de pouvoir se nourrir tout l'hiver
sans sortir.

Le chevreuil, la chevrette et le cerf

Le chevreuil perd-il ses bois, comme le cerf ?

Chaque année à l'automne, comme les bois du cerf, ceux du chevreuil tombent également. Ils auront complètement repoussé sur sa tête au printemps suivant.

La chevrette est-elle une petite chèvre ?

Oui, mais c'est aussi le nom de la femelle du chevreuil. On reconnaît facilement la chevrette : elle n'a pas de bois sur la tête.

La robe du chevreuil change-t-elle de couleur ?

Quand les feuilles des arbres changent de couleur dans la forêt, le chevreuil perd son pelage roux d'été. Petit à petit, sa robe grise d'hiver apparaît.

Que font les cerfs en automne ?

Ils brament dans les bois pour appeler les femelles. Après la saison des amours, ils s'en vont chacun de leur côté pour former un groupe : la harde. Les femelles partent avec d'autres biches et leurs jeunes faons.

La maison de la taupe

Que fait la taupe dans sa maison ?

La taupe y passe presque tout son temps, creuse des tunnels, se repose et chasse.
Elle fait souvent des rondes dans ses galeries pour chercher des vers et des insectes.

Qu'y a-t-il dans le garde-manger de la taupe ?

L'hiver, la taupe a du mal à trouver des vers qui se mettent à l'abri du gel en s'enfonçant plus profondément dans la terre. Alors, à l'automne, elle en capture de grandes quantités qu'elle emmagasine dans des greniers à provisions, près de son nid.

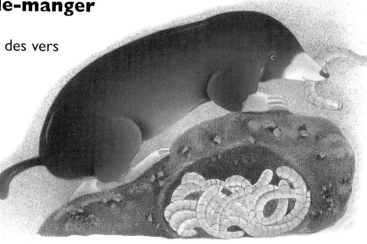

Les taupes se battent-elles entre elles ?

La taupe vit en solitaire et ne supporte pas les visiteurs, même s'il s'agit d'une autre taupe, égarée dans son terrier. Elle la chasse. Souvent, elles se battent et parfois, le vainqueur tue le vaincu.

La taupe est-elle un animal utile ?

En creusant, elle détruit les racines des plantes, abîme les jardins avec ses petits tas de terre. Cependant, elle est quand même utile au jardinier car elle mange beaucoup d'insectes, qui font encore plus de dégâts qu'elle dans les cultures.

57

Le renard

Pourquoi la renarde abandonne-t-elle ses petits ?

Pendant l'été, les renardeaux ont appris à chasser. Ils sont assez grands pour se débrouiller tout seuls. Sur le territoire, il ne reste plus assez à manger pour toute la famille. Alors maman renard, au début de l'automne, quitte ses petits qui vont partir chacun de leur côté en quête d'un nouveau territoire.

Où habite le renard ?

Le renard choisit un endroit tranquille dans un bois ou une prairie, où il peut chasser et trouver facilement à manger. Il y installe son terrier et vit en solitaire : c'est le territoire.

Le renard est-il gourmand ?

Sur son territoire, le renard chasse le lapin et le mulot. En automne, il peut même y trouver des fruits sauvages ou cultivés, comme des pommes et du raisin bien sucré, car il est très gourmand et ne mange pas que des animaux.

Le renard cache-t-il de la nourriture ?

Pour conserver la nourriture qu'il ne mange pas tout de suite, le renard creuse un trou pour l'enterrer. Il viendra la déguster plus tard, si un autre animal ne la trouve pas avant lui !

Un oiseau bruyant, le geai des chênes

Pourquoi le chasseur n'aime-t-il pas le geai ?

Parfois, en apercevant le chasseur et son fusil, le geai se met à pousser des cris stridents. En entendant ses cris d'alarme, les autres geais et les petits animaux de la forêt s'enfuient pour se cacher.

Pourquoi le geai cache-t-il des glands ?

Pendant la saison froide, ce mangeur d'insectes et ce pilleur de nids ne trouve plus un seul œuf à gober, son repas préféré ! Alors, dès l'automne, il s'installe dans la forêt de chênes pour faire des réserves de glands qu'il enfouit sous les feuilles mortes et qui lui permettront de survivre en hiver.

Comment fait le geai pour manger les glands et les noisettes ?

Quelques coups de bec suffisent à décortiquer le gland qu'il tient dans une patte ; quant aux noisettes, il peut les taper contre une grosse pierre.

Comment le geai fait-il sa toilette ?

Le geai ne prend pas souvent de bain, ni dans l'eau, ni dans la poussière, comme le font les autres oiseaux. Il étale parfois ses ailes près d'une fourmilière et laisse monter les fourmis sur ses plumes. Elles lui enlèvent tous les déchets qui s'y trouvent.

Du plus petit au plus gros

Où l'écureuil cache-t-il sa nourriture ?

Il creuse des petits trous dans la terre, sous les feuilles mortes, pour y déposer noisettes, glands et graines. Il en met aussi dans les creux des arbres. Avec toutes ces cachettes, il a des chances d'en retrouver au moins quelques-unes en hiver !

L'écureuil mange-t-il des champignons ?

Il aime bien compléter son menu d'automne avec quelques champignons, comme l'agaric ou le cèpe, qu'il grignote volontiers.

Comme le lapin, le lièvre habite-t-il dans un terrier ?

Non ! Il s'installe dans un creux du sol, abrité par des pierres ou des herbes, pour dormir et se reposer. C'est le gîte.

Comment se déplace le lièvre ?

Tel un ressort, il bondit ! Un peu comme le kangourou, il se déplace en faisant des sauts.

Le sanglier trouve-t-il à manger dans la terre ?

Avec son groin, il fouille sous les feuilles mortes, retourne la terre pour trouver des glands et des racines, mais aussi des vers et des insectes. Il aime beaucoup les pommes de terre et peut faire d'énormes dégâts, la nuit, dans les champs.

Les blaireaux en famille

Les blaireaux vivent-ils en famille ?

Quand le blaireau rencontre une compagne, il fonde avec elle une famille. Souvent, le couple reste uni pour la vie. Dans le même terrier, il peut y avoir plusieurs couples avec leurs petits.

Comment la famille blaireau prépare-t-elle sa maison d'hiver ?

Dès l'automne, les blaireaux transportent beaucoup de feuilles, de la mousse et du foin, avec lesquels ils tapissent les chambres de leur habitation, les isolant ainsi du froid et de l'humidité.

Au travail, les marmottes !

Elles sont si dodues après avoir mangé tout l'été qu'elles marchent en se dandinant !

Que font les marmottes dodues au début de l'automne ?

L'automne est à peine là qu'il faut déjà penser à préparer le terrier d'hiver. Toute la famille se met au travail.

Les marmottes coupent des tiges et des herbes qu'elles font sécher.

Elles transportent ce foin en petites touffes dans leur bouche jusqu'au terrier, et préparent un nid douillet. Le travail terminé, la famille marmotte au complet ferme la porte d'entrée avec de la terre et du foin, et va se coucher jusqu'au printemps.

Des petits animaux malins

Comment fait le rat des moissons pour construire un nid tout rond ?

Après la moisson, il n'a plus de maison haut perchée dans les épis. Alors il s'installe plus bas, dans un logis tout rond, caché par les feuilles mortes.

Il coupe des tiges, des herbes de toutes sortes, et les entrelace jusqu'à leur donner la forme d'une boule bien ronde, avec une petite entrée sur le côté. Pour que son intérieur soit bien confortable, il le tapisse avec des végétaux coupés très fin.

Qui fait des trous partout dans les champs ?

C'est le campagnol des champs ! Il creuse sous la surface du sol un labyrinthe de tunnels et de petites grottes où il entrepose ses provisions d'hiver. En creusant, il ronge tout ce qu'il trouve sur son passage et abîme les cultures. C'est un rongeur infatigable !

La musaraigne est-elle un rongeur ou bien une araignée ?

Ni l'un ni l'autre ! Elle ressemble à une souris mais n'est pas un rongeur.
Elle trottine partout en remuant son museau pointu à la recherche d'insectes
et d'araignées, sa nourriture préférée. Dès l'automne, elle en croque le plus possible
car l'hiver venu, elle n'en trouvera presque plus.
La musaraigne est un insectivore.

À quoi sert le long nez du hérisson ?

C'est pratique un nez pointu pour fureter sous les feuilles
mortes et y trouver de bonnes choses à manger ! C'est
utile aussi pour flairer le danger.

67

Les oiseaux migrateurs

Qu'est-ce que la migration des oiseaux ?

Quand l'été se termine, de nombreux oiseaux se regroupent et se préparent pour le grand voyage d'automne.

À l'approche de l'hiver, ils ne trouvent presque plus rien à manger. Alors, pour ne pas mourir de faim, ils quittent notre pays et s'en vont très loin vers des régions plus chaudes. C'est la migration.

D'où viennent les oies sauvages ?

À l'inverse des autres oiseaux qui partent plus au sud, les oies sauvages viennent passer la mauvaise saison chez nous. Elles arrivent du Grand Nord où tout est gelé et recouvert de neige.

Comment volent les oiseaux migrateurs ?

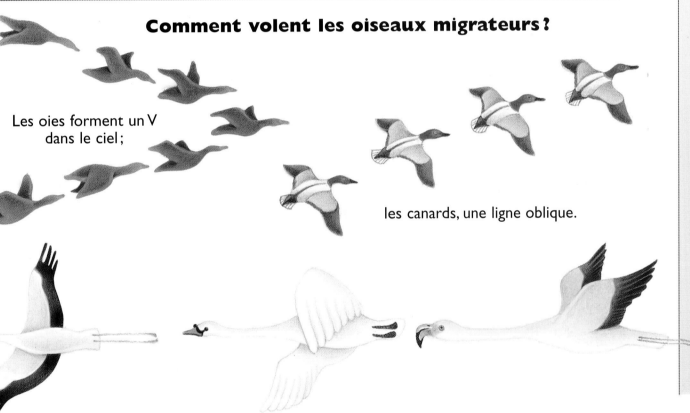

Les oies forment un V
dans le ciel ;

les canards, une ligne oblique.

La cigogne, le cygne et le flamant rose volent avec le cou et les pattes tendus à l'horizontale.

Les petits oiseaux,
comme les étourneaux et les
fauvettes, volent en groupes.

Les oiseaux des bois

Tous les oiseaux ne sont pas migrateurs. Il y en a qui restent bien tranquillement chez eux dans les bois !

Quel est l'oiseau qui se camoufle dans les feuilles mortes ?

C'est la bécasse des bois !
Grâce à ses plumes qui ont la couleur des feuilles d'automne, elle passe presque inaperçue. Pourtant, c'est un gros oiseau !

Que fait la bécasse avec son long bec ?

Elle s'en sert comme d'une pince pour fouiller dans la terre et en sortir les vers, les insectes, et même les cloportes dont elle se nourrit.

Que fait la chouette hulotte la nuit ?

Hou ! Hou ! Elle pousse son cri et va
chasser les campagnols et les mulots.
Dès le mois de septembre,
on l'entend hululer.

Comment fait la grive litorne
pour manger les escargots ?

Elle les frappe contre une pierre et donne
de grands coups de bec dans les coquilles
pour en extraire leurs habitants.

Comment fait le pic pour manger
les graines dans la pomme de pin ?

Il la pose dans le creux d'une branche et
la décortique en la martelant avec son bec.
Il fait la même chose avec les noix.

71

Le grand sommeil d'hiver

En hiver, de nombreux animaux s'endorment pour résister au froid. Ils vivent au ralenti, et n'ont plus besoin de se nourrir, grâce aux réserves de graisse qu'ils ont accumulées dans leur corps, en mangeant beaucoup les mois précédents. Cette période s'appelle l'hibernation.

Qui dort tout l'hiver sans manger ?

Les marmottes, blotties les unes contre les autres dans leur terrier.

Les chauves-souris, suspendues au plafond d'une grotte.

Le hérisson, dans un petit nid de feuilles mortes.

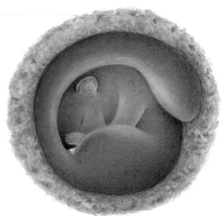

Le loir, dans un lit de mousse, installé dans la terre.

Qui se réveille de temps en temps ?

Au moins une fois par mois, la marmotte se réveille
quelques instants pour aller faire ses besoins
dans un petit coin du terrier, qui lui sert de cabinet !

Le blaireau dort beaucoup
mais n'hiberne pas.
Il sort quelquefois de son terrier
pour aller boire.

Le hamster se réveille souvent,
grignote quelques graines
dans son grenier à provisions
et se recouche aussitôt.

La maison des ours

Comment s'appelle la maison des ours ?

Dans une grotte bien dissimulée par des branches ou des rochers, les ours ont installé leur maison : c'est la tanière ! Elle est propre et confortable. Pour dormir et se reposer, les ours préparent des lits avec des feuilles et de la mousse.

Les ours dorment-ils tout l'hiver ?

Bien au chaud dans la tanière, protégés du froid par leur épaisse fourrure d'hiver,
les ours vivent au ralenti. Leur température ne s'abaisse pas, mais leur cœur bat trois fois
moins vite. Ils dorment presque continuellement jusqu'au printemps,
mais ils peuvent se réveiller et sortir de leur tanière, s'ils se sentent menacés.

Que mangent
les ours en hiver ?

Ils n'ont pas besoin de se nourrir,
car ils vivent sur les réserves de graisse
qu'ils ont amassées sous leur peau.

Maman ours
dort-elle pendant l'hiver ?

Tous les deux ans, au milieu de l'hiver,
elle donne naissance à 2 ou 3 oursons.
Elle dort très peu pour pouvoir
s'occuper d'eux et les allaiter
pendant plusieurs mois.
Les oursons passent deux hivers
dans la tanière avec leur maman.

Les petits fouineurs de l'hiver

Tous les animaux s'endorment-ils en hiver ?

De nombreux animaux s'enferment dans leur abri pour dormir tout l'hiver ; d'autres restent actifs pendant la saison froide et ne prennent pas de repos hivernal.

Qui s'en va fouiner dans ses cachettes ?

L'écureuil reste souvent blotti dans son petit nid d'hiver. Entre deux siestes, il va visiter une de ses nombreuses cachettes et déterrer quelques noisettes ou glands qu'il a mis en réserve dès l'automne.

Qui grignote encore des racines ?

Le campagnol continue de circuler dans les galeries de son terrier et trouve toujours quelques racines à grignoter en plus de ses réserves.

Qui trottine de jour comme de nuit ?

La musaraigne est si petite qu'elle a besoin
de manger tout le temps pour résister
au froid. Elle trottine sans arrêt
à la recherche d'insectes endormis.

Où vit le campagnol des neiges ?

Il vit en altitude, et s'installe dans une fissure
de rochers recouverts d'une épaisse couche
de neige qui l'isole du froid. Il sort parfois
grignoter quelques tiges de foin
qu'il peut encore trouver.

Quand la neige commence à fondre, il installe
un petit monticule de terre à l'entrée de son
refuge pour éviter qu'il soit complètement inondé.

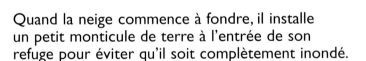

Tout le monde aux abris !

Où sont passés les insectes en hiver ?

La plupart des insectes se sont mis à l'abri
du froid dans la terre, sous les pierres
ou les écorces d'arbres et ne bougent plus.

Les coccinelles se regroupent
et « s'endorment » blotties les unes
contre les autres sous une écorce d'arbre.

Qui a fermé la porte de sa coquille ?

C'est l'escargot. Il déteste le froid :
il se recroqueville dans sa coquille
après avoir fermé l'entrée avec de la bave
séchée, et « s'endort » jusqu'au printemps.

L'araignée s'endort-elle sur sa toile ?

Non ! Elle passe l'hiver cachée
sous un gros tas de feuilles.

Où se cachent les papillons en hiver ?

La plupart des papillons meurent en automne. Ceux qui survivent ne trouvent plus de fleurs à butiner et se protègent du froid sous un abri de feuilles ou dans le creux d'une écorce.

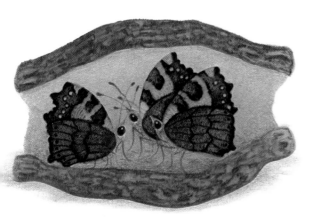

Le citron a été surpris par l'hiver… accroché à une tige, les ailes repliées, il ne bouge plus.

Les fourmis ont-elles fait des provisions pour l'hiver ?

Elles ont bien mangé tout l'été et n'ont pas besoin de se nourrir pendant la saison froide. Elles hibernent en état de vie ralentie dans la fourmilière.

À l'aise dans la neige

Quelles différences y a-t-il entre le lièvre variable et le lièvre commun ?

Le lièvre variable vit dans les massifs montagneux. Dès l'automne, son pelage brun commence à s'éclaircir pour devenir tout blanc en hiver, sauf le bout des oreilles !

Son cousin, le lièvre commun, vit en plaine et reste brun toute l'année. Lorsqu'il neige, il se fait remarquer…

Le lièvre variable se déplace-t-il facilement dans la neige ?

Les doigts de ses pattes arrière recouverts de poils peuvent s'écarter et l'empêchent ainsi de s'enfoncer dans la neige. Il peut même courir très vite en cas de danger.

Le chamois est-il agile dans la neige ?

À la belle saison, il peut faire des bonds de plusieurs mètres ; dans la neige, il se méfie et se déplace prudemment en file indienne avec ses compagnons.

Où vit le chamois pendant la saison froide ?

Il quitte la haute montagne et descend un peu plus bas se mettre à l'abri dans la forêt ; ses poils ont poussé de plusieurs centimètres et le protègent du froid.

81

Les oiseaux des montagnes

Quel est l'oiseau qui creuse un tunnel dans la neige ?

Pour se protéger du froid, le lagopède alpin creuse un tunnel dans la neige et construit un petit igloo qui lui sert d'abri la nuit. En creusant, il trouve des graines et des restes de végétaux pour se nourrir.

À quoi sert le plumage blanc du lagopède ?

En hiver, le lagopède change de costume. Son plumage brun d'été devient tout blanc. C'est pratique pour passer un hiver tranquille : blanc sur blanc, ses ennemis vont avoir du mal à le repérer dans la neige !

Quel est l'oiseau qui mange des aiguilles de pin et de sapin ?

C'est le coq de bruyère. Pour résister au froid, il a besoin de se nourrir. En hiver, il ne lui reste plus grand-chose à manger, alors en attendant le printemps, il consomme des aiguilles de pin et de sapin en grande quantité, presque toute la journée.

Que cherche l'aigle royal lorsqu'il plane au-dessus des montagnes ?

Affamé, l'aigle royal plane au-dessus des crêtes enneigées à la recherche du lagopède, du lièvre variable ou de l'hermine qui se promènent en habit d'hiver, presque invisibles dans la neige.

Un oiseau original, le bec-croisé

À quoi sert le bec du bec-croisé ?

Les pointes de son bec sont croisées et lui servent de pinces pour écarter les écailles du cône de l'épicéa. Il peut ainsi attraper plus facilement les graines avec sa langue.

Comment le bec-croisé grimpe-t-il aux arbres ?

Le bec-croisé vit dans les forêts de conifères. Il passe la plupart de son temps dans les arbres. Comme le perroquet, son bec lui sert de troisième patte pour grimper avec agilité le long des troncs.

La femelle du bec-croisé pond-elle des œufs en hiver ?

Peu d'oiseaux pondent en hiver
et attendent plutôt le printemps.
Mais le froid et la neige n'empêchent
pas la femelle du bec-croisé de couver.
Dans un nid en forme d'écuelle haut
perché sur la branche d'un épicéa,
les oisillons naissent en plein hiver.

Les oisillons supportent-ils le froid ?

Pendant près de trois semaines,
maman bec-croisé garde ses petits
bien au chaud sous son aile afin
de les protéger du froid.
Comme leurs parents, les oisillons
sont nourris de graines d'épicéa.

Le blaireau et le renard

Le renard et le blaireau peuvent-ils habiter dans le même terrier ?

Le renard qui n'a pas toujours envie de creuser son terrier, s'installe parfois dans celui de blaireaux, très spacieux, dont certaines chambres et galeries restent quelquefois inoccupées. Le renard et les blaireaux cohabitent sans problème en utilisant des sorties différentes.

Comment le renard se protège-t-il du froid ?

Comme chez beaucoup d'autres animaux, la fourrure du renard s'épaissit en hiver et le protège du froid. Lorsqu'il s'endort, roulé en boule, le museau dans sa queue touffue, il n'a pas besoin de couverture pour se réchauffer !

Existe-t-il des renards tout blancs ?

Dans les pays froids, là où la neige est très épaisse, vit le renard polaire. En hiver, son pelage est tout blanc et se confond avec le paysage.

Que fait le renard en hiver ?

Il continue à chasser des petits animaux comme le campagnol. C'est aussi la saison des amours : le renard part à la recherche d'une compagne. Le mâle et la femelle s'appellent en poussant des cris qui ressemblent à des aboiements. Ils s'accouplent dans leur terrier en janvier ou février.

Quand naissent les bébés blaireaux ?

En plein hiver, maman blaireau donne naissance à un à cinq petits qu'elle garde bien au chaud dans une litière toute propre. Au bout de deux ou trois mois, les petits blaireaux partent à la découverte de leur territoire. Ils resteront encore avec leur mère l'hiver suivant.

Dans l'eau glacée

Pourquoi les castors font-ils des provisions de branches sous l'eau ?

Elles vont servir à faire des réparations dans leur maison,
mais aussi à les nourrir pendant l'hiver, car ils ne trouveront
plus les feuilles et les bourgeons qu'ils ont
l'habitude de manger.

Comment les castors sortent-ils de la hutte quand la surface de l'eau est gelée ?

À l'approche de l'hiver et du gel, ils ont construit des issues de secours qui leur permettent de ne pas rester bloqués dans la hutte et de pouvoir accéder sans difficulté à la rive.

Comment fait la loutre pour chasser dans les rivières gelées ?

Elle creuse un trou dans la glace pour aller sous l'eau. Elle remonte de temps en temps pour respirer et ressort avec un poisson qu'elle va déguster sur la berge. Sa fourrure est imperméable et sous ses longs poils, sa peau ne se mouille même pas.

La loutre vit-elle tout le temps dans l'eau ?

Son terrier se trouve au bord de l'eau : elle passe beaucoup de temps à nager et à pêcher, mais en hiver, elle est capable de parcourir de longues marches à la recherche de rivières non gelées.

Les petits affamés de l'hiver

Les petits oiseaux trouvent-ils à manger en hiver ?

La nourriture se fait rare, ils ont faim et froid, alors ils se rapprochent des habitations et prennent l'habitude de venir se nourrir dans les mangeoires.

À la saison froide, le moineau, l'étourneau, la mésange et le pinson vagabondent à la recherche de graines et de plantes.

Pour les aider à passer l'hiver on peut leur laisser des graines, du foin ou de la graisse dans des petites mangeoires posées sur le bord d'une fenêtre ou suspendues en hauteur, à l'abri des chats.

L'alouette y retrouve ses compagnes
pour manger les semis de blé.

Quels sont les oiseaux qui se promènent dans les champs en hiver ?

Les corbeaux et les corneilles
s'installent par bandes et cherchent
leur nourriture.

Les perdrix grises
s'y réunissent en compagnies.

Pourquoi les petits oiseaux gonflent-ils leurs plumes ?

Les petits oiseaux comme le moineau,
le rouge-gorge ou le rossignol ont parfois l'air
tout ébouriffé. S'ils gonflent leurs plumes,
ce n'est pas toujours parce qu'ils sont en colère
mais c'est aussi de cette manière qu'ils se
protègent du froid.

En attendant les beaux jours

Où sont passés les serpents et les lézards en hiver ?

Ils n'ont que la chaleur du soleil pour se réchauffer. Dès qu'il commence à faire froid, la température de leur corps s'abaisse, et ils sombrent dans un profond sommeil jusqu'au retour des chauds rayons du soleil.

La couleuvre vit au ralenti, elle ne peut plus bouger ni manger et se cache dans un trou.

Comme tous les animaux à sang froid, le lézard est tout engourdi au début de l'hiver. Caché sous terre ou sous un morceau de bois mort, il dort jusqu'au printemps.

La vipère se met à l'abri sous des pierres et s'endort.

Qui s'enfonce dans la vase de l'étang ?

La grenouille rousse quitte le pré et passe l'hiver cachée dans la vase de l'étang, sans se réveiller.

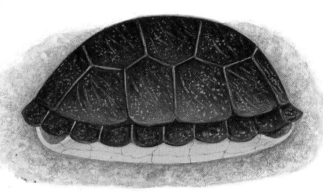

La tortue d'eau douce ne chasse plus les petits poissons. Elle s'enfouit dans la vase et, presque sans respirer, s'endort jusqu'au printemps !

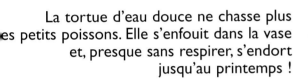

Le crapaud coasse-t-il en hiver ?

À l'abri dans la fente d'un rocher, on ne l'entend plus jusqu'au printemps : il dort !